Oscar et la dame rose

Eric-Emmanuel Schmitt

Oscar
et la dame rose

Albin Michel

© Éditions Albin Michel S.A., 2002
22, rue Huyghens, 75014 Paris
www.albin-michel.fr

ISBN 2-226-13502-2

À Danielle Darrieux

Cher Dieu,

Je m'appelle Oscar, j'ai dix ans, j'ai foutu le feu au chat, au chien, à la maison (je crois même que j'ai grillé les poissons rouges) et c'est la première lettre que je t'envoie parce que jusqu'ici, à cause de mes études, j'avais pas le temps.

Je te préviens tout de suite : j'ai horreur d'écrire. Faut vraiment que je sois obligé. Parce qu'écrire c'est guirlande, pompon, risette, ruban, et cetera. Ecrire, c'est rien qu'un mensonge qui enjolive. Un truc d'adultes.

La preuve ? Tiens, prends le début de ma lettre : « Je m'appelle Oscar, j'ai dix ans, j'ai foutu le feu au chat, au chien, à la maison (je crois même que j'ai grillé les poissons rouges) et c'est la première lettre que je t'envoie parce que jusqu'ici, à cause de mes études, j'avais pas le temps », j'aurais pu aussi bien mettre : « On m'appelle Crâne d'Œuf, j'ai l'air d'avoir sept ans, je vis à l'hôpital à cause de mon cancer et je ne t'ai jamais adressé la parole parce que je crois même pas que tu existes. »

Seulement si j'écris ça, ça la fout mal, tu vas moins t'intéresser à moi. Or j'ai besoin que tu t'intéresses.

Ça m'arrangerait même que tu aies le temps de me rendre deux ou trois services.

Je t'explique.

L'hôpital, c'est un endroit super-sympa, avec plein d'adultes de bonne humeur qui parlent fort, avec plein de jouets et de dames roses qui veulent s'amuser avec les enfants, avec des copains toujours disponibles comme

Bacon, Einstein ou Pop Corn, bref, l'hôpital, c'est le pied si tu es un malade qui fait plaisir.

Moi, je ne fais plus plaisir. Depuis ma greffe de moelle osseuse, je sens bien que je ne fais plus plaisir. Quand le docteur Düsseldorf m'examine, le matin, le cœur n'y est plus, je le déçois. Il me regarde sans rien dire comme si j'avais fait une erreur. Pourtant je me suis appliqué, moi, à l'opération ; j'ai été sage, je me suis laissé endormir, j'ai eu mal sans crier, j'ai pris tous les médicaments. Certains jours, j'ai envie de lui gueuler dessus, de lui dire que c'est peut-être lui, le docteur Düsseldorf, avec ses sourcils noirs, qui l'a ratée, l'opération. Mais il a l'air tellement malheureux que les insultes me restent dans la gorge. Plus le docteur Düsseldorf se tait avec son œil désolé, plus je me sens coupable. J'ai compris que je suis devenu un mauvais malade, un malade qui empêche de croire que la médecine, c'est formidable.

La pensée d'un médecin, c'est contagieux.

Maintenant tout l'étage, les infirmières, les internes et les femmes de ménage, me regarde pareil. Ils ont l'air tristes quand je suis de bonne humeur ; ils se forcent à rire quand je sors une blague. Vrai, on rigole plus comme avant.

Il n'y a que Mamie-Rose qui n'a pas changé. A mon avis, elle est de toute façon trop vieille pour changer. Et puis elle est trop Mamie-Rose, aussi. Mamie-Rose, je te la présente pas, Dieu, c'est une bonne copine à toi, vu que c'est elle qui m'a dit de t'écrire. Le problème, c'est qu'il n'y a que moi qui l'appelle Mamie-Rose. Donc faut que tu fasses un effort pour voir de qui je parle : parmi les dames en blouse rose qui viennent de l'extérieur passer du temps avec les enfants malades, c'est la plus vieille de toutes.

– C'est quoi votre âge, Mamie-Rose ?

– Tu peux retenir les nombres à treize chiffres, mon petit Oscar ?

– Oh ! Vous charriez !

— Non. Il ne faut surtout pas qu'on sache mon âge ici sinon je me fais chasser et nous ne nous verrons plus.

— Pourquoi ?

— Je suis là en contrebande. Il y a un âge limite pour être dame rose. Et je l'ai largement dépassé.

— Vous êtes périmée ?

— Oui.

— Comme un yaourt ?

— Chut !

— O.K. ! Je dirai rien.

Elle a été vachement courageuse de m'avouer son secret. Mais elle est tombée sur le bon numéro. Je serai muet même si je trouve étonnant, vu toutes les rides qu'elle a, comme des rayons de soleil autour des yeux, que personne ne s'en soit douté.

Une autre fois j'ai appris un de ses autres secrets, et avec ça, c'est sûr, Dieu, tu vas pouvoir l'identifier.

On se promenait dans le parc de l'hôpital et elle a marché sur une crotte.

– Merde !

– Mamie-Rose, vous dites des vilains mots.

– Oh, toi, le môme, lâche-moi la grappe un instant, je parle comme je veux.

– Oh Mamie-Rose !

– Et bouge-toi le cul. On se promène, là, on ne fait pas une course d'escargots.

Quand on s'est assis pour sucer un bonbon sur un banc, je lui ai demandé :

– Comment se fait-il que vous parliez si mal ?

– Déformation professionnelle, mon petit Oscar. Dans mon métier, j'étais foutue si j'avais le vocabulaire trop délicat.

– Et c'était quoi votre métier ?

– Tu ne vas pas me croire...

– Je vous jure que je vous croirai.

– Catcheuse.

– Je ne vous crois pas !

14

– Catcheuse ! On m'avait surnommée l'Etrangleuse du Languedoc.

Depuis, quand j'ai un coup de morosité et qu'elle est certaine que personne ne peut nous entendre, Mamie-Rose me raconte ses grands tournois : l'Etrangleuse du Languedoc contre la Charcutière du Limousin, sa lutte pendant vingt ans contre Diabolica Sinclair, une Hollandaise qui avait des obus à la place des seins, et surtout sa coupe du monde contre Ulla-Ulla, dite la Chienne de Büchenwald, qui n'avait jamais été battue, même par Cuisses d'Acier, le grand modèle de Mamie-Rose quand elle était catcheuse. Moi, ça me fait rêver ses combats, parce que j'imagine ma copine comme maintenant sur le ring, une petite vieille en blouse rose un peu branlante en train de foutre la pâtée à des ogresses en maillot. J'ai l'impression que c'est moi. Je deviens le plus fort. Je me venge.

Bon, si avec tous ces indices, Mamie-Rose ou l'Etrangleuse du Languedoc, tu ne repères pas qui est Mamie-Rose, Dieu, alors il faut arrêter d'être Dieu et prendre ta retraite. Je pense que j'ai été clair ?

Je reviens à mes affaires.

Bref, ma greffe a beaucoup déçu ici. Ma chimio décevait aussi mais c'était moins grave parce qu'on avait l'espoir de la greffe. Maintenant, j'ai l'impression que les toubibs ne savent plus quoi proposer, même que ça fait pitié. Le docteur Düsseldorf, que maman trouve si beau quoique moi je le trouve un peu fort des sourcils, il a la mine désolée d'un Père Noël qui n'aurait plus de cadeaux dans sa hotte.

L'atmosphère se détériore. J'en ai parlé à mon copain Bacon. En fait il s'appelle pas Bacon, mais Yves, mais nous on l'a appelé Bacon parce que ça lui va beaucoup mieux, vu qu'il est un grand brûlé.

– Bacon, j'ai l'impression que les médecins ne m'aiment plus, je les déprime.

– Tu parles, Crâne d'Œuf ! Les médecins,

16

c'est inusable. Ils ont toujours plein d'idées d'opérations à te faire. Moi, j'ai calculé qu'ils m'en ont promis au moins six.

— Peut-être que tu les inspires.

— Faut croire.

— Mais pourquoi ils ne me disent pas tout simplement que je vais mourir ?

Là, Bacon, il a fait comme tout le monde à l'hôpital : il est devenu sourd. Si tu dis « mourir » dans un hôpital, personne n'entend. Tu peux être sûr qu'il va y avoir un trou d'air et que l'on va parler d'autre chose. J'ai fait le test avec tout le monde. Sauf avec Mamie-Rose.

Alors ce matin, j'ai voulu voir si, elle aussi, elle devenait dure de la feuille à ce moment-là.

— Mamie-Rose, j'ai l'impression que personne ne me dit que je vais mourir.

Elle me regarde. Est-ce qu'elle va réagir comme les autres ? S'il te plaît, l'Etrangleuse du Languedoc, résiste et conserve tes oreilles !

— Pourquoi veux-tu qu'on te le dise si tu le sais, Oscar !

Ouf, elle a entendu.

— J'ai l'impression, Mamie-Rose, qu'on a inventé un autre hôpital que celui qui existe vraiment. On fait comme si on ne venait à l'hôpital que pour guérir. Alors qu'on y vient aussi pour mourir.

— Tu as raison, Oscar. Et je crois qu'on fait la même erreur pour la vie. Nous oublions que la vie est fragile, friable, éphémère. Nous faisons tous semblant d'être immortels.

— Elle est ratée, mon opération, Mamie-Rose ?

Mamie-Rose n'a pas répondu. C'était sa manière à elle de dire oui. Quand elle a été sûre que j'avais compris, elle s'est approchée et m'a demandé, sur un ton suppliant :

— Je ne t'ai rien dit, bien sûr. Tu me le jures ?

— Juré.

On s'est tus un petit moment, histoire de bien remuer toutes ces nouvelles pensées.

— Si tu écrivais à Dieu, Oscar ?

— Ah non, pas vous, Mamie-Rose !

— Quoi, pas moi ?

— Pas vous ! Je croyais que vous n'étiez pas menteuse.

— Mais je ne te mens pas.

— Alors pourquoi vous me parlez de Dieu ? On m'a déjà fait le coup du Père Noël. Une fois suffit !

— Oscar, il n'y a aucun rapport entre Dieu et le Père Noël.

— Si. Pareil. Bourrage de crâne et compagnie !

— Est-ce que tu imagines que moi, une ancienne catcheuse, cent soixante tournois gagnés sur cent soixante-cinq, dont quarante-trois par K.-O., l'Etrangleuse du Languedoc, je puisse croire une seconde au Père Noël ?

— Non.

– Eh bien je ne crois pas au Père Noël mais je crois en Dieu. Voilà.

Evidemment, dit comme ça, ça changeait tout.

– Et pourquoi est-ce que j'écrirais à Dieu ?

– Tu te sentirais moins seul.

– Moins seul avec quelqu'un qui n'existe pas ?

– Fais-le exister.

Elle s'est penchée vers moi.

– Chaque fois que tu croiras en lui, il existera un peu plus. Si tu persistes, il existera complètement. Alors, il te fera du bien.

– Qu'est-ce que je peux lui écrire ?

– Livre-lui tes pensées. Des pensées que tu ne dis pas, ce sont des pensées qui pèsent, qui s'incrustent, qui t'alourdissent, qui t'immobilisent, qui prennent la place des idées neuves et qui te pourrissent. Tu vas devenir une décharge à vieilles pensées qui puent si tu ne parles pas.

– O.K.

– Et puis, à Dieu, tu peux lui demander une chose par jour. Attention ! Une seule.

– Il est nul, votre Dieu, Mamie-Rose. Aladin, il avait droit à trois vœux avec le génie de la lampe.

– Un vœu par jour, c'est mieux que trois dans une vie, non ?

– O.K. Alors je peux tout lui commander ? Des jouets, des bonbons, une voiture...

– Non, Oscar. Dieu n'est pas le Père Noël. Tu ne peux demander que des choses de l'esprit.

– Exemple ?

– Exemple : du courage, de la patience, des éclaircissements.

– O.K. Je vois.

– Et tu peux aussi, Oscar, lui suggérer des faveurs pour les autres.

– Un vœu par jour, Mamie-Rose, faut pas déconner, je vais d'abord le garder pour moi !

Voilà. Alors Dieu, à l'occasion de cette première lettre, je t'ai montré un peu le genre de vie que j'avais ici, à l'hôpital, où on me regarde maintenant comme un obstacle à la médecine, et j'aimerais te demander un éclaircissement : est-ce que je vais guérir ? Tu réponds oui ou non. C'est pas bien compliqué. Oui ou non. Tu barres la mention inutile.

A demain, bisous,
Oscar.

P.-S. Je n'ai pas ton adresse : comment je fais ?

Cher Dieu,

Bravo ! Tu es très fort. Avant même que j'aie posté la lettre, tu me donnes la réponse. Comment fais-tu ?

Ce matin, je jouais aux échecs avec Einstein dans la salle de récréation lorsque Pop Corn est venu me prévenir :

– Tes parents sont là.

– Mes parents ? C'est pas possible. Ils ne viennent que le dimanche.

– J'ai vu la voiture, une Jeep rouge avec la bâche blanche.

– C'est pas possible.

J'ai haussé les épaules et j'ai continué à jouer avec Einstein. Mais comme j'étais préoccupé, Einstein me piquait toutes mes pièces, et ça m'a encore plus énervé. Si on l'appelle Einstein, c'est pas parce qu'il est plus intelligent que les autres mais parce qu'il a la tête qui fait le double de volume. Il paraît que c'est de l'eau à l'intérieur. C'est dommage, ç'aurait été de la cervelle, il aurait pu faire de grandes choses, Einstein.

Quand j'ai vu que j'allais perdre, j'ai laissé tomber le jeu et j'ai suivi Pop Corn dont la chambre donne sur le parking. Il avait raison : mes parents étaient arrivés.

Il faut te dire, Dieu, qu'on habite loin, mes parents et moi. Je ne m'en rendais pas compte quand j'y habitais mais maintenant que je n'y habite plus, je trouve que c'est vraiment loin. Du coup, mes parents ne peuvent venir me voir qu'une fois par semaine, le dimanche, parce que le dimanche ils ne travaillent pas, ni moi non plus.

– Tu vois que j'avais raison, a dit Pop Corn. Combien tu me donnes pour t'avoir prévenu ?

– J'ai des chocolats aux noisettes.

– T'as plus de fraises Tagada ?

– Non.

– O.K. pour les chocolats.

Evidemment, on n'a pas le droit de donner

à manger à Pop Corn vu qu'il est là pour maigrir. Quatre-vingt-dix-huit kilos à neuf ans, pour un mètre dix de haut sur un mètre dix de large ! Le seul vêtement dans lequel il rentre tout entier, c'est un sweat-shirt de polo américain. En encore, les rayures ont le mal de mer. Franchement, comme aucun de mes copains ni moi on croit qu'il pourra jamais arrêter d'être gros et qu'il nous fait pitié tellement il a faim, on lui donne toujours nos restes. C'est minuscule, un chocolat, par rapport à une telle masse de graisse ! Si on a tort, alors que les infirmières cessent, elles aussi, de lui fourrer des suppositoires.

Je suis retourné dans ma chambre pour attendre mes parents. Au début, je n'ai pas vu passer les minutes parce que j'étais essoufflé puis je me suis rendu compte qu'ils avaient eu quinze fois le temps d'arriver jusqu'à moi.

Soudain, j'ai deviné où ils étaient. Je me suis glissé dans le couloir ; quand personne ne me voyait, j'ai descendu l'escalier, puis j'ai marché dans la pénombre jusqu'au bureau du docteur Düsseldorf.

Gagné ! Ils étaient là. Les voix m'arrivaient de derrière la porte. Comme j'étais épuisé par la descente, j'ai pris quelques secondes pour remettre mon cœur en place et c'est là que tout s'est détraqué. J'ai entendu ce que j'aurais pas dû entendre. Ma mère sanglotait, le docteur Düsseldorf répétait : « Nous avons tout essayé, croyez bien que nous avons tout essayé » et mon père répondait d'une voix étranglée : « J'en suis sûr, docteur, j'en suis sûr. »

Je suis resté l'oreille collée à la porte de fer. Je savais plus qui était le plus froid, le métal ou moi.

Puis le docteur Düsseldorf a dit :

— Est-ce que vous voulez l'embrasser ?

— Je n'aurai jamais le courage, a dit ma mère.

— Il ne faut pas qu'il nous voie dans cet état, a rajouté mon père.

26

Et c'est là que j'ai compris que mes parents étaient deux lâches. Pire : deux lâches qui me prenaient pour un lâche !

Comme il y avait des bruits de chaises dans le bureau, j'ai deviné qu'ils allaient sortir et j'ai ouvert la première porte qui se présentait.

C'est comme ça que je me suis retrouvé dans le placard à balais où j'ai passé le reste de la matinée car, peut-être que tu le sais pas, Dieu, mais les placards à balais, ça s'ouvre de l'extérieur, pas de l'intérieur, comme si on avait peur que, la nuit, les balais, les seaux et les serpillières, ils se barrent !

De toute façon, ça ne me gênait pas d'être enfermé dans le noir parce que je n'avais plus envie de voir personne et parce que mes jambes et mes bras ne répondaient plus tellement après le choc que ça m'avait fait, entendre ce que j'avais entendu.

Vers les midi, j'ai senti que ça s'agitait pas mal à l'étage au-dessus. J'écoutais les pas, les cavalcades. Puis on s'est mis à crier mon nom de partout :

— Oscar ! Oscar !

Ça me faisait du bien de m'entendre appeler et de ne pas répondre. J'avais envie d'embêter la terre entière.

Après, je crois que j'ai un peu dormi, puis j'ai perçu les galoches traînantes de Madame N'da, la femme de service. Elle a ouvert la porte et là, on s'est fait vraiment peur, on a hurlé très fort, elle parce qu'elle s'attendait pas à me trouver là, moi parce que je ne me souvenais pas qu'elle était aussi noire. Ni qu'elle criait aussi fort.

Après, ça a été une sacrée mêlée. Ils sont tous venus, le docteur Düsseldorf, l'infirmière-chef, les infirmières de service, les autres femmes de ménage. Alors que je croyais qu'ils allaient m'engueuler, ils se sentaient tous morveux et j'ai vu qu'il fallait vite tirer profit de la situation.

— Je veux voir Mamie-Rose.

— Mais où étais-tu passé, Oscar ? Comment te sens-tu ?

— Je veux voir Mamie-Rose.

— Comment t'es-tu retrouvé dans ce placard ? Tu as suivi quelqu'un ? Tu as entendu quelque chose ?

— Je veux voir Mamie-Rose.

— Prends un verre d'eau.

— Non. Je veux voir Mamie-Rose.

— Prends une bouchée de...

— Non. Je veux voir Mamie-Rose.

Du granit. Une falaise. Une dalle de béton. Rien à faire. Je n'écoutais même plus ce qu'on me disait. Je voulais voir Mamie-Rose.

Le docteur Düsseldorf avait l'air très contrarié par rapport à ses collègues de n'avoir aucune autorité sur moi. Il a fini par craquer.

— Qu'on aille chercher cette dame !

Là, j'ai consenti à me reposer et j'ai dormi un peu dans ma chambre.

Quand je me suis réveillé, Mamie-Rose était là. Elle souriait.

— Bravo, Oscar, tu as réussi ton coup. Tu leur as foutu une sacrée gifle. Mais le résultat, c'est qu'ils me jalousent maintenant.

— On s'en fout.

— Ce sont de braves gens, Oscar. De très braves gens.

— Je m'en fous.

— Qu'est-ce qui ne va pas ?

— Le docteur Düsseldorf a dit à mes parents que j'allais mourir et ils se sont enfuis. Je les déteste.

Je lui ai tout raconté dans le détail, comme à toi, Dieu.

— Mmm, a fait Mamie-Rose, ça me rappelle mon tournoi à Béthune contre Sarah Youp La Boum, la catcheuse au corps huilé, l'anguille des rings, une acrobate qui se battait presque nue et qui te filait entre les mains lorsque tu essayais de lui faire une prise. Elle ne combattait qu'à Béthune où elle gagnait chaque année la coupe de Béthune. Or moi, je la voulais, la coupe de Béthune !

– Qu'est-ce que vous avez fait, Mamie-Rose ?

– Des amis à moi lui ont jeté de la farine lorsqu'elle est montée sur le ring. Huile plus farine, ça faisait une jolie chapelure. En trois croix et deux mouvements, je l'ai envoyée au tapis, la Sarah Youp La Boum. Après moi, on ne l'appelait plus l'anguille des rings mais la morue panée.

– Vous m'excuserez, Mamie-Rose, mais je vois pas vraiment le rapport.

– Moi je le vois très bien. Y a toujours une solution, Oscar, y a toujours un sac de farine quelque part. Tu devrais écrire à Dieu. Il est plus fort que moi.

– Même pour le catch ?

– Oui. Même pour le catch, Dieu touche sa bille. Essaie, mon petit Oscar. Qu'est-ce qui te fait le plus mal ?

– Je déteste mes parents.

— Alors déteste-les très fort.

— C'est vous qui me dites ça, Mamie-Rose ?

— Oui. Déteste-les très fort. Ça te fera un os à ronger. Quand tu l'auras fini, ton os, tu verras que ce n'était pas la peine. Raconte tout ça à Dieu et, dans ta lettre, demande-lui donc de te faire une visite.

— Il se déplace ?

— A sa façon. Pas souvent. Rarement même.

— Pourquoi ? Il est malade, lui aussi ?

Là, j'ai compris au soupir de Mamie-Rose qu'elle ne voulait pas m'avouer que, toi aussi, Dieu, tu es en mauvais état.

— Tes parents ne t'ont jamais parlé de Dieu, Oscar ?

— Laissez tomber. Mes parents, ils sont cons.

— Bien sûr. Mais est-ce qu'ils ne t'ont jamais parlé de Dieu ?

— Si. Juste une fois. Pour dire qu'ils y

croyaient pas. Eux, ils croient juste au Père Noël.

— Ils sont si cons que ça, mon petit Oscar ?

— Pouvez pas vous imaginer ! Le jour où je suis revenu de l'école en leur disant qu'il fallait arrêter de déconner, que je savais, comme tous mes copains, que le Père Noël n'existait pas, ils avaient l'air de tomber d'un nuage. Comme j'étais plutôt furax d'être passé pour un crétin dans la cour de récréation, ils m'ont juré qu'ils n'avaient jamais voulu me tromper et qu'ils avaient cru, eux, sincèrement, que le Père Noël existait, et qu'ils étaient très déçus, mais alors là, très déçus d'apprendre que ce n'était pas vrai ! Deux vrais tarés, je vous dis, Mamie-Rose !

— Donc ils ne croient pas en Dieu ?

— Non.

— Et ça ne t'a pas intrigué ?

— Si je m'intéresse à ce que pensent les cons, je n'aurai plus de temps pour ce que pensent les gens intelligents.

— Tu as raison. Mais le fait que tes parents qui, selon toi, sont des cons...

— Oui. Des vrais cons, Mamie-Rose !

— Donc, si tes parents qui se trompent n'y croient pas, pourquoi toi, justement, ne pas y croire et lui demander une visite ?

— D'accord. Mais vous m'avez pas dit qu'il est grabataire ?

— Non. Il a une façon très spéciale de rendre visite. Il te rend visite en pensée. Dans ton esprit.

Ça, ça m'a plu. J'ai trouvé ça très fort. Mamie-Rose a ajouté :

— Tu verras : ses visites font beaucoup de bien.

— O.K., je lui en parlerai. Enfin, pour l'instant, les visites qui me font le plus de bien, ce sont les vôtres.

Mamie-Rose a souri et, presque timidement, s'est penchée pour me faire un bisou sur la joue. Elle n'osait pas aller jusqu'au bout. Elle mendiait de l'œil la permission.

— Allez-y. Embrassez-moi. Je le dirai pas aux autres. Je veux pas casser votre réputation d'ancienne catcheuse.

Ses lèvres se sont posées sur ma joue et ça m'a fait plaisir, ça me donnait chaud, avec des picotements, ça sentait la poudre et le savon.

— Quand revenez-vous ?

— Je n'ai le droit de venir que deux fois par semaine.

— C'est pas possible, ça, Mamie-Rose ! Je vais pas attendre trois jours !

— C'est le règlement.

— Qui fabrique le règlement ?

— Le docteur Düsseldorf.

— Le docteur Düsseldorf, en ce moment, il fait dans sa culotte quand il me voit. Allez lui demander la permission, Mamie-Rose. Je plaisante pas.

Elle m'a regardé avec hésitation

— Je plaisante pas. Si vous ne venez pas me voir tous les jours, moi j'écris pas à Dieu.

35

— Je vais essayer.

Mamie-Rose est sortie et je me suis mis à pleurer.

Je ne m'étais pas rendu compte, avant, combien j'avais besoin d'aide. Je ne m'étais pas rendu compte, avant, combien j'étais vraiment malade. A l'idée de ne plus voir Mamie-Rose, je comprenais tout ça et voilà que ça me coulait en larmes qui brûlaient mes joues.

Heureusement, j'ai eu un peu le temps de me remettre avant qu'elle rentre.

— C'est arrangé : j'ai la permission. Pendant douze jours, je peux venir te voir tous les jours.

— Moi et rien que moi ?

— Toi et rien que toi, Oscar. Douze jours.

Là, je ne sais pas ce qui m'a pris, les larmes sont revenues et m'ont secoué. Pourtant je sais que les garçons ne doivent pas pleurer, surtout moi, avec mon crâne d'œuf, qui ne ressemble ni à un garçon ni à une fille mais plutôt à un Martien. Rien à faire. Je pouvais pas m'arrêter.

— Douze jours ? Ça va si mal que ça, Mamie-Rose ?

Elle aussi, ça la chatouillait de pleurer. Elle hésitait. L'ancienne catcheuse empêchait l'ancienne fille de se laisser aller. C'était joli à voir et ça m'a distrait un peu.

— Quel jour sommes-nous, Oscar ?

— Cette idée ! Vous ne voyez pas mon calendrier ? On est le 19 décembre.

— Dans mon pays, Oscar, il y a une légende qui prétend que, durant les douze derniers jours de l'an, on peut deviner le temps qu'il fera dans les douze mois de l'année à venir. Il suffit d'observer chaque journée pour avoir, en miniature, le tableau du mois. Le 19 décembre représente le mois de janvier, le 20 décembre le mois de février, etc., jusqu'au 31 décembre qui préfigure le mois de décembre suivant.

— C'est vrai ?

– C'est une légende. La légende des douze jours divinatoires. Je voudrais qu'on y joue, toi et moi. Enfin surtout toi. A partir d'aujourd'hui, tu observeras chaque jour en te disant que ce jour compte pour dix ans.

– Dix ans ?

– Oui. Un jour : dix ans.

– Alors dans douze jours, j'aurai cent trente ans !

– Oui. Tu te rends compte ?

Mamie-Rose m'a embrassé – elle y prend goût, je sens – puis elle est partie.

Alors voilà, Dieu : ce matin, je suis né, et je ne m'en suis pas bien rendu compte ; c'est devenu plus clair vers les midi, quand j'avais cinq ans, j'ai gagné en conscience mais ça n'a pas été pour apprendre de bonnes nouvelles ; ce soir, j'ai dix ans et c'est l'âge de raison. J'en profite pour te demander une chose : quand tu as quelque chose à m'annoncer comme à midi, pour mes cinq ans, fais moins brutal. Merci.

A demain, bisous,
Oscar.

P.-S. J'ai un truc à te demander. Je sais que je n'ai droit qu'à un vœu mais mon vœu de tout à l'heure, c'était à peine un vœu, plutôt un conseil.

Je serais d'accord pour une petite visite. Une visite en esprit. Je trouve ça très fort. J'aimerais bien que tu m'en fasses une. Je suis ouvrable de huit heures du matin à neuf heures du soir. Le reste du temps, je dors. Même parfois, dans la journée, je pique des petits roupillons à cause des traitements. Mais si tu me trouves comme ça, n'hésite pas à me réveiller. Ça serait con de se rater à une minute près, non ?

Cher Dieu,

Aujourd'hui, j'ai vécu mon adolescence et ça n'a pas glissé tout seul. Quelle histoire ! J'ai eu plein d'ennuis avec mes copains, avec mes parents et tout ça à cause des filles. Ce soir, je ne suis pas mécontent d'avoir vingt ans parce que je me dis que, ouf, le pire est derrière moi. La puberté, merci ! Une fois mais pas deux !

D'abord, Dieu, je te signale que tu n'es pas venu. J'ai très peu dormi aujourd'hui vu les problèmes de puberté que j'ai eus, donc je n'aurais pas dû te rater. Et puis, je te le répète, si je roupille, secoue-moi.

Au réveil, Mamie-Rose était déjà là. Pendant le petit déjeuner, elle m'a raconté ses combats contre Téton Royal, une catcheuse belge, qui engloutissait trois kilos de viande crue par jour qu'elle arrosait avec un tonneau de bière ; il paraît que ce qu'elle avait de plus fort, Téton Royal, c'était l'haleine, à cause de la fermentation viande-bière, et que rien que ça, ça envoyait ses adversaires au tapis. Pour la vaincre, Mamie-Rose avait dû improviser une nouvelle tactique : mettre une cagoule, l'imprégner de lavande et se faire appeler la Bourrelle de Carpentras. Le catch, elle dit toujours, ça demande aussi des muscles dans la cervelle.

– Qui aimes-tu bien, Oscar ?

– Ici ? A l'hôpital ?

– Oui.

– Bacon, Einstein, Pop Corn.

– Et parmi les filles ?

Ça m'a bloqué, cette question. Je n'avais pas envie de répondre. Mais Mamie-Rose attendait et, devant une catcheuse de classe internationale, on peut pas faire le guignol trop longtemps.

– Peggy Blue.

Peggy Blue, c'est l'enfant bleue. Elle habite l'avant-dernière chambre au fond du couloir. Elle sourit gentiment mais elle ne parle presque pas. On dirait une fée qui se repose un moment à l'hôpital. Elle a une maladie compliquée, la maladie bleue, un problème de sang qui devrait aller aux poumons et qui n'y va pas et qui, du coup, rend toute la peau bleutée. Elle attend une opération qui la rendra rose. Moi je trouve que c'est dommage, je la trouve très belle en bleu, Peggy Blue. Il y a plein de lumière et de silence autour d'elle, on a l'impression de rentrer dans une chapelle quand on s'approche.

— Est-ce que tu le lui as dit ?

— Je ne vais pas me planter devant elle pour lui dire « Peggy Blue, je t'aime bien ».

— Si. Pourquoi ne le fais-tu pas ?

— Je ne sais même pas si elle sait que j'existe.

— Raison de plus.

— Vous avez vu la tête que j'ai ? Faudrait qu'elle apprécie les extraterrestres, et ça, j'en suis pas sûr.

— Moi je te trouve très beau, Oscar.

Là, elle a un peu freiné la conversation, Mamie-Rose. C'est agréable d'entendre ce genre de chose, ça fait frissonner les poils, mais on sait plus très bien quoi répondre.

– Je veux pas séduire qu'avec mon corps, Mamie-Rose.

– Qu'est-ce que tu ressens pour elle ?

– J'ai envie de la protéger contre les fantômes.

– Quoi ? Il y a des fantômes, ici !

– Oui. Toutes les nuits. Ils nous réveillent on ne sait pas pourquoi. On a mal parce qu'ils pincent. On a peur parce qu'on ne les voit pas. On a de la difficulté à se rendormir.

– En as-tu souvent, toi, des fantômes ?

– Non. Moi, le sommeil, c'est ce que j'ai de plus profond. Mais Peggy Blue, je l'entends parfois crier la nuit. J'aimerais bien la protéger.

– Va lui dire.

– De toute façon, je ne pourrais pas le faire vraiment parce que, la nuit, on n'a pas le droit de quitter sa chambre. C'est le règlement.

— Est-ce que les fantômes connaissent le règlement ? Non. Sûrement pas. Sois rusé : s'ils t'entendent annoncer à Peggy Blue que tu monteras la garde pour la protéger d'eux, ils n'oseront pas venir ce soir.

— Mouais... mouais...

— Quel âge as-tu, Oscar ?

— Je ne sais pas. Quelle heure est-il ?

— Dix heures. Tu vas sur tes quinze ans. Ne crois-tu pas qu'il est temps d'avoir le courage de tes sentiments ?

A dix heures trente, je me suis décidé et j'ai marché jusqu'à la porte de sa chambre qui était ouverte.

— Salut, Peggy, c'est Oscar.

Elle était posée sur son lit, on aurait dit Blanche-Neige lorsqu'elle attend le prince, quand ces couillons de nains croient qu'elle est morte, Blanche-Neige comme les photos

44

de neige où la neige est bleue, non pas blanche.

Elle s'est tournée vers moi et là, je me suis demandé si elle allait me prendre pour le prince ou l'un des nains. Moi, j'aurais coché « nain » à cause de mon crâne d'œuf mais elle n'a rien dit, et c'est ça qu'est bien, avec Peggy Blue, c'est qu'elle ne dit jamais rien et que tout reste mystérieux.

— Je suis venu t'annoncer que, ce soir, et tous les soirs suivants, si tu veux bien, je monterai la garde devant ta chambre pour te protéger des fantômes.

Elle m'a regardé, elle a battu des cils et j'ai eu l'impression que le film passait au ralenti, que l'air devenait plus aérien, le silence plus silencieux, que je marchais comme dans de l'eau et que tout changeait lorsqu'on s'appro-chait de son lit éclairé par une lumière qui tombait de nulle part.

— Eh, minute, Crâne d'Œuf : c'est moi qui garderai Peggy !

Pop Corn se tenait dans l'encadrement de la porte, ou plutôt, il remplissait l'encadrement de la porte. J'ai tremblé. Sûr que si c'est lui qui fait la garde, ça sera efficace, aucun fantôme ne pourra plus passer.

Pop Corn a fait un clin d'œil à Peggy.

— Hein, Peggy ? Toi et moi, on est copains, non ?

Peggy a regardé le plafond. Pop Corn a pris ça pour une confirmation et m'a tiré dehors.

— Si tu veux une fille, tu prends Sandrine. Peggy, c'est chasse gardée.

— De quel droit ?

— Du droit que j'étais là avant toi. Si t'es pas content, on peut se battre.

— En fait, je suis super-content.

J'étais un peu fatigué et je suis allé m'asseoir dans la salle de jeux. Justement, il y avait Sandrine. Sandrine, elle est leucémique, comme moi, mais elle, son traitement a l'air de réussir. On l'appelle la Chinoise parce qu'elle a une perruque noire, brillante, aux cheveux raides, avec une frange, et que ça la fait ressembler à une Chinoise. Elle me regarde et fait éclater une bulle de chewing-gum.

– Tu peux m'embrasser, si tu veux.

– Pourquoi ? Le chewing-gum te suffit pas ?

– T'es même pas capable, minus. Je suis sûre que tu ne l'as jamais fait.

– Alors là, tu me fais rigoler. A quinze ans, je l'ai déjà fait plusieurs fois, je peux t'assurer.

– T'as quinze ans ? qu'elle me fait, surprise.

Je vérifie à ma montre.

– Oui. Quinze ans passés.

– J'ai toujours rêvé d'être embrassée par un grand de quinze ans.

– C'est sûr, c'est tentant, que je dis.

Et là, elle me fait une grimace pas possible avec ses lèvres qu'elle pousse en avant, on dirait une ventouse qui s'écrase sur une vitre, et je comprends qu'elle attend un baiser.

En me retournant, je vois tous les copains qui m'observent. Pas moyen de me dégonfler. Faut être un homme. C'est l'heure.

Je m'approche et je l'embrasse. Elle m'accroche avec les bras, je ne peux plus m'en décoller, ça mouille, et tout d'un coup, sans prévenir elle me refile son chewing-gum. De surprise, je l'ai avalé tout rond. J'étais furieux.

C'est à ce moment-là qu'une main m'a tapé dans le dos. Un malheur n'arrive jamais seul : mes parents. On était dimanche et j'avais oublié !

— Tu nous présentes ton amie, Oscar ?

— Ce n'est pas mon amie.

— Tu nous la présentes quand même ?

— Sandrine. Mes parents. Sandrine.

— Je suis ravie de vous connaître, dit la Chinoise en prenant des airs sucrés.

Je l'aurais étranglée.

— Veux-tu que Sandrine vienne avec nous dans ta chambre ?

— Non. Sandrine reste ici.

De retour dans mon lit, je me suis rendu compte que j'étais fatigué et j'ai dormi un peu. De toute façon, je voulais pas leur parler.

Quand je me suis réveillé, évidemment ils m'avaient apporté des cadeaux. Depuis que je suis en permanence à l'hôpital, mes parents ont du mal avec la conversation ; alors ils m'apportent des cadeaux et l'on passe des après-midi pourries à lire les règles du jeu et les modes d'emploi. Mon père, il est intrépide avec les notices : même quand elles sont en turc ou en japonais, il ne se décourage pas, il s'accroche au schéma. Il est champion du monde du dimanche après-midi gâché.

Aujourd'hui, il m'avait apporté un lecteur de disques. Là, j'ai pas pu critiquer même si j'en avais envie.

— Vous n'êtes pas venus, hier ?

— Hier ? Pourquoi veux-tu ? Nous ne pouvons que le dimanche. Qu'est-ce qui te fait dire ça ?

– Quelqu'un a vu votre voiture dans le parking.

– Il n'y a pas qu'une Jeep rouge au monde. C'est interchangeable, les voitures.

– Ouais. C'est pas comme les parents. Dommage.

Là, je les avais cloués sur place. Alors j'ai pris l'appareil à musique et j'ai écouté deux fois le disque *Casse-Noisette*, sans m'arrêter, devant eux. Deux heures sans qu'ils puissent dire un mot. Bien fait pour eux.

– Ça te plaît ?

– Ouais. J'ai sommeil.

Ils ont compris qu'ils devaient partir. Ils étaient mal comme tout. Ils ne pouvaient pas se décider. Je sentais qu'ils voulaient me dire des choses et qu'ils n'y arrivaient pas. C'était bon de les voir souffrir, à leur tour.

Puis ma mère s'est précipitée contre moi, m'a serré très fort, trop fort, et a dit d'une voix secouée :

— Je t'aime, mon petit Oscar, je t'aime tellement.

J'avais envie de résister mais au dernier moment je l'ai laissée faire, ça me rappelait le temps d'avant, le temps des gros câlins tout simples, le temps où elle n'avait pas un ton angoissé pour me dire qu'elle m'aimait.

Après ça, j'ai dû m'endormir un peu.

Mamie-Rose, c'est la championne du réveil. Elle arrive toujours sur la ligne d'arrivée au moment où j'ouvre les yeux. Et elle a toujours un sourire à ce moment-là.

— Alors, tes parents ?

— Nuls comme d'habitude. Enfin, ils m'ont offert *Casse-Noisette*.

— *Casse-Noisette* ? Ça, c'est curieux. J'avais une copine qui s'appelait comme ça. Une sacrée championne. Elle brisait le cou de ses adversaires entre ses cuisses. Et Peggy Blue, tu es allé la voir ?

— M'en parlez pas. Elle est fiancée à Pop Corn.

51

— Elle te l'a dit ?

— Non, lui.

— Du bluff !

— Je crois pas. Je suis sûr qu'il lui plaît plus que moi. Il est plus fort, plus rassurant.

— Du bluff, je te dis ! Moi qui avais l'air d'une souris sur un ring, j'en ai battu des catcheuses qui ressemblaient à des baleines ou à des hippopotames. Tiens, Plum Pudding, l'Irlandaise, cent cinquante kilos à jeun en slip avant sa Guinness, des avant-bras comme mes cuisses, des biceps comme des jambons, des jambes dont je ne pouvais pas faire le tour. Pas de taille, pas de prises. Imbattable !

— Comment avez-vous fait ?

— Quand il n'y a pas de prise, c'est que c'est rond et que ça roule. Je l'ai fait courir, histoire de la fatiguer, puis je l'ai renversée, Plum Pudding. Il a fallu un treuil pour la relever. Toi, mon petit Oscar, tu as l'ossature légère et tu n'as pas beaucoup de bifteck, c'est certain, mais la séduction, ça ne tient pas qu'à l'os et qu'à la viande, ça tient aussi aux qualités de cœur. Et ça, des qualités de cœur, tu en as plein.

— Moi ?

— Va voir Peggy Blue et dis-lui ce que tu as sur le cœur.

— Je suis un peu fatigué.

— Fatigué ? Quel âge as-tu à cette heure ? Dix-huit ans ? A dix-huit ans, on n'est pas fatigué.

Elle a une façon de parler, Mamie-Rose, qui donne de l'énergie.

La nuit était tombée, les bruits résonnaient plus fort dans la pénombre, le linoléum du couloir réfléchissait la lune.

Je suis entré chez Peggy et lui ai tendu mon appareil à musique.

— Tiens. Ecoute « La valse des flocons ». C'est tellement joli que ça me fait penser à toi.

Peggy a écouté « La valse des flocons ». Elle souriait comme si c'était une vieille copine, la valse, qui lui racontait des choses drôles à l'oreille.

Elle m'a rendu l'appareil et elle m'a dit :
— C'est beau.

C'était son premier mot. C'est chouette, non, comme premier mot ?

— Peggy Blue, je voulais te dire : je veux pas que tu te fasses opérer. Tu es belle comme ça. Tu es belle en bleu.

Ça, j'ai bien vu que ça lui faisait plaisir. Je l'avais pas dit pour, mais c'était clair que ça lui faisait plaisir.

— Je veux que ce soit toi, Oscar, qui me protèges des fantômes.

— Compte sur moi, Peggy.

J'étais vachement fier. Finalement, c'est moi qui avais gagné !

— Embrasse-moi.

Ça, c'est vraiment un truc de filles, le baiser, comme un besoin chez elles. Mais Peggy, à la différence de la Chinoise, elle n'est pas une vicieuse, elle m'a tendu la joue et c'est vrai que ça m'a fait chaud, à moi aussi, de l'embrasser.

— Bonsoir, Peggy.

— Bonsoir, Oscar.

Voilà, Dieu, c'était ma journée. Je comprends que l'adolescence, on appelle ça l'âge ingrat. C'est dur. Mais finalement, sur le coup des vingt ans, ça s'arrange. Alors je t'adresse ma demande du jour : je voudrais que Peggy et moi on se marie. Je ne suis pas certain que le mariage appartienne aux choses de l'esprit, si c'est bien ta catégorie. Est-ce que tu fais ce genre de vœu, le vœu agence matrimoniale ? Si tu n'as pas ça en rayon, dis-le-moi vite que je puisse me tourner vers la bonne personne. Sans vouloir te presser, je te signale que je n'ai pas beaucoup de temps. Donc : mariage d'Oscar et Peggy Blue. Oui ou non. Vois si tu fais, ça m'arrangerait.

A demain, bisous,
Oscar.

P.-S. Au fait, c'est quoi, finalement, ton adresse ?

55

Cher Dieu,

Ça y est, je suis marié. Nous sommes le 21 décembre, je marche vers mes trente ans et je me suis marié. Pour les enfants, Peggy Blue et moi, on a décidé qu'on verra ça plus tard. En fait, je crois qu'elle n'est pas prête.

Ça s'est passé cette nuit.

Vers une heure du matin, j'ai entendu la plainte de Peggy Blue. Ça m'a redressé dans mon lit. Les fantômes ! Peggy Blue était torturée par les fantômes alors que je lui avais promis de monter la garde. Elle allait se rendre compte que j'étais un tocard, elle ne m'adresserait plus la parole et elle aurait raison.

Je me suis levé et j'ai marché jusqu'aux hurlements. En arrivant à la chambre de Peggy, je l'ai vue assise dans son lit, qui me regardait venir, surprise. Moi aussi, je devais avoir l'air étonné, car soudain j'avais Peggy Blue en face de moi qui me fixait, la bouche fermée, et j'entendais pourtant toujours les cris.

Alors j'ai continué jusqu'à la porte suivante et j'ai compris que c'était Bacon qui se tordait dans son lit à cause de ses brûlures. Un instant, ça m'a donné mauvaise conscience, j'ai repensé au jour où j'avais foutu le feu à la maison, au chat, au chien, quand j'avais même grillé les poissons rouges – enfin, je pense qu'ils ont dû surtout bouillir –, j'ai songé à ce qu'ils avaient vécu et je me suis dit qu'après tout, ce n'était pas plus mal qu'ils y soient restés plutôt que de n'en avoir jamais fini avec les souvenirs et les brûlures, comme Bacon, malgré les greffes et les crèmes.

Bacon s'est recroquevillé et a cessé de gémir. Je suis retourné chez Peggy Blue.

– Alors ce n'était pas toi, Peggy ? J'ai toujours cru que c'était toi qui criais la nuit.

– Et moi je croyais que c'était toi.

On n'en revenait pas de ce qui se passait, et de ce qu'on se disait : en réalité, chacun pensait à l'autre depuis longtemps.

Peggy Blue est devenue encore plus bleue, ce qui signifiait chez elle qu'elle était très gênée.

– Qu'est-ce que tu fais, maintenant, Oscar ?

– Et toi, Peggy ?

C'est fou ce qu'on a comme points communs, les mêmes idées, les mêmes questions.

– Est-ce que tu veux dormir avec moi ?

Les filles, c'est incroyable. Moi, une phrase comme ça, j'aurais mis des heures, des semaines, des mois à la mâcher dans ma tête avant de la prononcer. Elle, elle me la sortait tout naturellement, tout simplement.

– O.K.

Et je suis monté dans son lit. On était un peu serrés mais on a passé une nuit formidable. Peggy Blue sent la noisette et elle a la peau aussi douce que moi à l'intérieur des bras mais elle, c'est partout. On a beaucoup dormi, beaucoup rêvé, on s'est tenus tout contre, on s'est raconté nos vies.

C'est sûr qu'au matin, quand Madame Gommette, l'infirmière-chef, nous a trouvés ensemble, ç'a été de l'opéra. Elle s'est mise à hurler, l'infirmière de nuit s'est mise à hurler aussi, elles ont hurlé l'une sur l'autre puis sur Peggy, puis sur moi, les portes claquaient, elles prenaient les autres à témoin, elles nous traitaient de « petits malheureux » alors que nous étions très heureux et il a fallu que Mamie-Rose arrive pour mettre fin au concert.

— Est-ce que vous allez foutre la paix à ces enfants ? Qui devez-vous satisfaire, les patients ou le règlement ? J'en ai rien à cirer de votre règlement, je m'assois dessus. Maintenant, silence. Allez vous crêper le chignon ailleurs. On n'est pas dans un vestiaire, ici.

C'était sans réplique, comme toujours avec

Mamie-Rose. Elle m'a ramené dans ma chambre et j'ai un peu dormi.

Au réveil, on a pu causer.

— Alors, c'est du sérieux, Oscar, avec Peggy ?

— C'est du béton, Mamie-Rose. Je suis super-heureux. On s'est mariés cette nuit.

— Mariés ?

— Oui. On a fait tout ce que font un homme et une femme qui sont mariés.

— Ah bon ?

— Pour qui me prenez vous ? J'ai — quelle heure est-il ? — j'ai vingt ans passés, je mène ma vie comme je l'entends, non ?

— Sûr.

— Et puis figurez-vous que tous les trucs qui me dégoûtaient avant, quand j'étais jeune, les baisers, les caresses, eh bien, finalement, ça m'a plu. C'est marrant comme on change, non ?

— Je suis ravie pour toi, Oscar. Tu pousses bien.

– Il n'y a qu'un truc qu'on n'a pas fait, c'est le baiser en mélangeant les langues. Peggy Blue avait peur que ça lui donne des enfants. Qu'est-ce que vous en pensez ?

– Je pense qu'elle a raison.

– Ah bon ? C'est possible d'avoir des enfants si on s'embrasse sur la bouche ? Alors je vais en avoir avec la Chinoise.

– Calme-toi, Oscar, il y a quand même peu de chances. Très peu.

Elle avait l'air sûre de son coup, Mamie-Rose, et ça m'a calmé un peu parce que, faut te dire, à toi, Dieu, et rien qu'à toi, qu'avec Peggy Blue, une fois, voire deux, voire plus, on avait mis la langue.

J'ai dormi un peu. On a déjeuné ensemble, Mamie-Rose et moi, et j'ai commencé à aller mieux.

– C'est fou comme j'étais fatigué, ce matin.

– C'est normal, entre vingt et vingt-cinq ans, on sort la nuit, on fait la fête, on mène une vie de patachon, on ne s'économise pas assez. Ça se paie. Si on allait voir Dieu ?

— Ah, ça y est, vous avez son adresse ?

— Je pense qu'il est à la chapelle.

Mamie-Rose m'a habillé comme si on partait pour le pôle Nord, elle m'a pris dans ses bras et m'a conduit à la chapelle qui se trouve au fond du parc de l'hôpital, au-delà des pelouses gelées, enfin, je vais pas t'expliquer où c'est, vu que c'est chez toi.

Ça m'a fait un choc quand j'ai vu ta statue, enfin, quand j'ai vu l'état dans lequel tu étais, presque tout nu, tout maigre sur ta croix, avec des blessures partout, le crâne qui saigne sous les épines et la tête qui ne tenait même plus sur le cou. Ça m'a fait penser à moi. Ça m'a révolté. Si j'étais Dieu, moi, comme toi, je ne me serais pas laissé faire.

— Mamie-Rose, soyez sérieuse : vous qui êtes catcheuse, vous qui avez été une grande championne, vous n'allez pas faire confiance à ça !

— Pourquoi, Oscar ? Accorderais-tu plus de crédit à Dieu si tu voyais un culturiste avec le bifteck ouvragé, le muscle saillant, la peau huilée, la petite coupe courte et le mini-slip avantageux ?

— Ben...

— Réfléchis, Oscar. De quoi te sens-tu le plus proche ? D'un Dieu qui n'éprouve rien ou d'un Dieu qui souffre ?

— De celui qui souffre, évidemment. Mais si j'étais lui, si j'étais Dieu, si, comme lui, j'avais les moyens, j'aurais évité de souffrir.

— Personne ne peut éviter de souffrir. Ni Dieu ni toi. Ni tes parents ni moi.

— Bon. D'accord. Mais pourquoi souffrir ?

— Justement. Il y a souffrance et souffrance. Regarde mieux son visage. Observe. Est-ce qu'il a l'air de souffrir ?

— Non. C'est curieux. Il n'a pas l'air d'avoir mal.

— Voilà. Il faut distinguer deux peines, mon petit Oscar, la souffrance physique et la souffrance morale. La souffrance physique, on la subit. La souffrance morale, on la choisit.

— Je ne comprends pas.

— Si on t'enfonce des clous dans les poignets ou les pieds, tu ne peux pas faire autrement que d'avoir mal. Tu subis. En revanche, à l'idée de mourir, tu n'es pas obligé d'avoir mal. Tu ne sais pas ce que c'est. Ça dépend donc de toi.

— Vous en connaissez, vous, des gens qui se réjouissent à l'idée de mourir ?

— Oui, j'en connais. Ma mère était comme ça. Sur son lit de mort, elle souriait de gourmandise, elle était impatiente, elle avait hâte de découvrir ce qui allait se passer.

Je pouvais plus argumenter. Comme ça m'intéressait de savoir la suite, j'ai laissé passer un peu de temps en réfléchissant à ce qu'elle me disait.

— Mais la plupart des gens sont sans curiosité. Ils s'accrochent à ce qu'ils ont, comme le pou dans l'oreille d'un chauve. Prends

Plum Pudding, par exemple, ma rivale irlandaise, cent cinquante kilos à jeun et en slip juste avant sa Guinness. Elle me disait toujours : « Moi, désolée, je ne mourrai pas, je ne suis pas d'accord, je n'ai pas signé. » Elle se trompait. Personne ne lui avait dit que la vie devait être éternelle, personne ! Elle s'entêtait à le croire, elle se révoltait, elle refusait l'idée de passer, elle devenait enragée, elle a fait une dépression, elle a maigri, elle a arrêté le métier, elle ne pesait plus que trente-cinq kilos, on aurait dit une arête de sole, et elle s'est cassée en morceaux. Tu vois, elle est morte quand même, comme tout le monde, mais l'idée de mourir lui a gâché la vie.

— Elle était conne, Plum Pudding, Mamie-Rose.

— Comme un pâté de campagne. Mais c'est très répandu, le pâté de campagne. Très courant.

Là aussi, j'ai opiné de la tête parce que j'étais assez d'accord.

65

– Les gens craignent de mourir parce qu'ils redoutent l'inconnu. Mais justement, qu'est-ce que l'inconnu ? Je te propose, Oscar, de ne pas avoir peur mais d'avoir confiance. Regarde le visage de Dieu sur la croix : il subit la peine physique mais il n'éprouve pas de peine morale car il a confiance. Du coup les clous le font moins souffrir. Il se répète : ça me fait mal mais ça ne peut pas être un mal. Voilà ! C'est ça, le bénéfice de la foi. Je voulais te le montrer.

– O.K., Mamie-Rose, quand j'aurai la trouille, je me forcerai à avoir confiance.

Elle m'a embrassé. Finalement, on était bien dans cette église déserte avec toi, Dieu, qui avais l'air si apaisé.

Au retour, j'ai dormi longtemps. J'ai de plus en plus sommeil. Comme une fringale. En me réveillant, j'ai dit à Mamie-Rose :

– En fait, je n'ai pas peur de l'inconnu. C'est juste que ça m'ennuie de perdre ce que je connais.

– Je suis comme toi, Oscar. Si on proposait

à Peggy Blue de venir prendre le thé avec nous ?

Peggy Blue a pris le thé avec nous, elle s'entendait très bien avec Mamie-Rose, on a bien rigolé quand Mamie-Rose nous a raconté son combat avec les Sœurs Giclette, trois sœurs jumelles qui se faisaient passer pour une. Après chaque round, la Giclette qui avait épuisé son adversaire en gambadant de partout bondissait hors du ring en prétendant qu'elle devait aller faire pipi, elle se précipitait aux toilettes et c'était sa sœur qui revenait en pleine forme pour la reprise. Et ainsi de suite. Tout le monde croyait qu'il n'y avait qu'une Giclette, que c'était une sauteuse infatigable. Mamie-Rose a découvert le pot aux roses, a enfermé les deux remplaçantes aux toilettes en jetant la clé par la fenêtre et elle est venue à bout de celle qui restait. C'est astucieux, le catch, comme sport.

Puis Mamie-Rose est partie. Les infirmières

nous surveillent, Peggy Blue et moi, comme si on était des pétards prêts à exploser. Merde, j'ai trente ans, tout de même ! Peggy Blue m'a juré que, ce soir, c'est elle qui me rejoindrait dès qu'elle pourrait ; en échange, je lui ai juré que, cette fois, je ne mettrais pas la langue.

C'est vrai, c'est pas tout d'avoir des gosses, faut encore avoir le temps de les élever.

Voilà, Dieu. Je ne sais pas quoi te demander ce soir parce que ça a été une belle journée. Si. Fais en sorte que l'opération de Peggy Blue, demain, se passe bien. Pas comme la mienne, si tu vois ce que je veux dire.

A demain, bisous,
Oscar.

P.-S. Les opérations, ce ne sont pas des choses de l'esprit, tu n'as peut-être pas ça en magasin. Alors fais en sorte que, quel que soit le résultat de l'opération, Peggy Blue le prenne bien. Je compte sur toi.

Cher Dieu,

Peggy Blue a été opérée aujourd'hui. J'ai passé dix années terribles. C'est dure la trentaine, c'est l'âge des soucis et des responsabilités.

En fait, Peggy n'a pas pu me rejoindre cette nuit parce que Madame Ducru, l'infirmière de nuit, est restée dans sa chambre pour préparer Peggy à l'anesthésie. La civière l'a emmenée vers huit heures. Ça m'a serré le cœur quand j'ai vu passer Peggy sur le chariot, on la voyait à peine sous les draps émeraude tant elle est petite et mince.

Mamie-Rose m'a tenu la main pour m'empêcher de m'énerver

— Pourquoi ton Dieu, Mamie-Rose, il permet que ça soit possible, des gens comme Peggy et moi ?

— Heureusement qu'il vous fait, mon petit Oscar, parce que la vie serait moins belle sans vous.

— Non. Vous ne comprenez pas. Pourquoi Dieu il permet qu'on soit malades ? Ou bien il est méchant. Ou bien il n'est pas bien fortiche.

— Oscar, la maladie, c'est comme la mort. C'est un fait. Ce n'est pas une punition.

— On voit que vous n'êtes pas malade !

— Qu'est-ce que tu en sais, Oscar ?

Ça, ça m'a coupé. J'avais jamais songé que Mamie-Rose, qui est toujours si disponible, si attentive, elle puisse avoir ses propres problèmes.

— Faut pas me cacher les choses, Mamie-Rose, vous pouvez tout me dire. J'ai au moins trente-deux ans, un cancer, une femme en salle d'opération, alors, la vie, ça me connaît.

— Je t'aime, Oscar.

— Moi aussi. Qu'est-ce que je peux faire pour vous si vous avez des ennuis ? Est-ce que vous voulez que je vous adopte ?

— M'adopter ?

— Oui, j'ai déjà adopté Bernard quand j'ai vu qu'il avait le blues.

— Bernard ?

— Mon ours. Là. Dans l'armoire. Sur l'étagère. C'est mon vieil ours, il n'a plus d'yeux, ni de bouche, ni de nez, il a perdu la moitié de son rembourrage et il a des cicatrices partout. Il vous ressemble un peu. Je l'ai adopté le soir où mes deux cons de parents m'ont apporté un ours neuf. Comme si j'allais accepter d'avoir un ours neuf ! Ils n'avaient qu'à me remplacer par un petit frère tout neuf pendant qu'ils y étaient ! Depuis, je l'ai adopté. Je lui léguerai tout ce que j'ai, à Bernard. Je veux vous adopter aussi, si ça vous rassure.

— Oui. Je veux bien. Je crois que ça me rassurerait, Oscar.

— Alors topez là, Mamie-Rose.

Puis on est allés préparer la chambre de Peggy, apporter les chocolats, poser des fleurs pour son retour.

71

Après, j'ai dormi. C'est fou ce que je dors en ce moment.

Vers la fin de l'après-midi, Mamie-Rose m'a réveillé en me disant que Peggy Blue était revenue et que l'opération avait réussi.

On est allés la voir ensemble. Ses parents se tenaient à son chevet. J'ignore qui les avait prévenus, Peggy ou Mamie-Rose, mais ils avaient l'air de savoir qui j'étais, ils m'ont traité avec beaucoup de respect, ils m'ont posé une chaise entre eux et j'ai pu veiller ma femme avec mes beaux-parents.

J'étais content parce que Peggy était toujours bleutée. Le docteur Düsseldorf est passé, s'est frotté les sourcils et a dit que ça allait changer dans les heures qui viennent. J'ai regardé la mère de Peggy qui n'est pas bleue mais bien belle quand même et je me suis dit qu'après tout, Peggy, ma femme, pouvait avoir la couleur qu'elle voulait, je l'aimerais pareil.

Peggy a ouvert les yeux, nous a souri, à moi, à ses parents, puis s'est rendormie.

Ses parents étaient rassurés mais ils devaient partir.

— Nous te confions notre fille, ils m'ont dit. Nous savons que nous pouvons compter sur toi.

Avec Mamie-Rose, j'ai tenu jusqu'à ce que Peggy ouvre les yeux une deuxième fois puis je suis allé me reposer dans ma chambre.

En finissant ma lettre, je me rends compte que c'était une bonne journée, aujourd'hui, finalement. Une journée famille. J'ai adopté Mamie-Rose, j'ai bien sympathisé avec mes beaux-parents et j'ai récupéré ma femme en bonne santé, même si, vers onze heures, elle devenait rose.

A demain, bisous,
Oscar.

P.-S. Pas de vœu aujourd'hui. Ça te fera du repos.

Cher Dieu,

Aujourd'hui, j'ai eu de quarante à cinquante ans et je n'ai fait que des conneries.

Je raconte ça vite parce que ça mérite pas plus. Peggy Blue va bien mais la Chinoise, envoyée par Pop Corn qui ne peut plus me blairer, est venue lui cafter que je l'avais embrassée sur la bouche.

Du coup, Peggy m'a dit qu'elle et moi c'était fini. J'ai protesté, j'ai dit que la Chinoise et moi, c'était une erreur de jeunesse, que c'était bien avant elle, et qu'elle ne pouvait pas me faire payer mon passé toute ma vie.

Mais elle a tenu bon. Elle est même devenue copine avec la Chinoise pour me faire enrager et je les ai entendues qui rigolaient ensemble.

Du coup, quand Brigitte, la trisomique, qui colle toujours tout le monde parce que les trisomiques, c'est normal, c'est affectueux, est venue me dire bonjour dans ma chambre, je l'ai laissée m'embrasser de partout. Elle était folle de joie que je lui permette. On aurait dit un chien qui fait la fête à son maître. Le problème, c'est qu'Einstein était dans le couloir. Il a peut-être de l'eau dans le cerveau mais pas des peaux de saucisson sur les yeux. Il a tout vu et est allé le raconter à Peggy et à la Chinoise. Tout l'étage me traite maintenant de cavaleur alors que j'ai pas bougé de ma chambre.

— Je ne sais pas ce qui m'a pris, Mamie-Rose, avec Brigitte...

— Le démon de midi, Oscar. Les hommes sont comme ça, entre quarante-cinq et cinquante ans, ils se rassurent, ils vérifient qu'ils peuvent plaire à d'autres femmes que celle qu'ils aiment.

– Bon d'accord, je suis normal mais je suis con, aussi, non ?

– Oui. Tu es tout à fait normal.

– Qu'est-ce que je dois faire ?

– Qui aimes-tu ?

– Peggy. Rien que Peggy.

– Alors dis-le-lui. Un premier couple, c'est fragile, toujours secoué, mais il faut se battre pour le conserver, si c'est le bon.

Demain, Dieu, c'est Noël. J'avais jamais réalisé que c'était ton anniversaire. Fais en sorte que je me réconcilie avec Peggy parce que je ne sais pas si c'est pour ça, mais je suis très triste ce soir et je n'ai plus de courage du tout.

A demain, bisous,
Oscar.

P.-S. Maintenant qu'on est copains, qu'est-ce que tu veux que je t'offre pour ton anniversaire ?

Cher Dieu,

Ce matin, à huit heures, j'ai dit à Peggy Blue que je l'aimais, que je n'aimais qu'elle et que je pouvais pas concevoir ma vie sans elle. Elle s'est mise à pleurer, elle m'a avoué que je la délivrais d'un gros chagrin parce qu'elle aussi elle n'aimait que moi et qu'elle ne trouverait jamais personne d'autre, surtout maintenant qu'elle était rose.

Alors, c'est curieux, on s'est retrouvés tous les deux à sangloter mais c'était très agréable. C'est chouette, la vie de couple. Surtout après la cinquantaine quand on a traversé des épreuves.

Sur le coup des dix heures, je me suis vraiment rendu compte que c'était Noël, que je ne pourrais pas rester avec Peggy parce que sa famille – frères, oncles, neveux, cousins –

allait débarquer dans sa chambre et que j'allais être obligé de supporter mes parents. Qu'est-ce qu'ils allaient m'offrir encore ? Un puzzle de dix-huit mille pièces ? Des livres en kurde ? Une boîte de modes d'emploi ? Mon portrait du temps que j'étais en bonne santé ? Avec deux crétins pareils, qui ont l'intelligence d'un sac-poubelle, il y avait de la menace à l'horizon, je pouvais tout craindre, il n'y avait qu'une seule certitude, c'était que j'allais passer une journée à la con.

Je me suis décidé très vite et j'ai organisé ma fugue. Un peu de troc : mes jouets à Einstein, mon duvet à Bacon et mes bonbons à Pop Corn. Un peu d'observation : Mamie-Rose passait toujours par le vestiaire avant de partir. Un peu de prévision : mes parents n'arriveraient pas avant midi. Tout s'est bien passé : à onze heures trente, Mamie-Rose m'a embrassé en me souhaitant une bonne journée de Noël avec mes parents puis a disparu à l'étage des vestiaires. J'ai sifflé. Pop Corn,

Einstein et Bacon m'ont habillé très vite, m'ont descendu en me soulevant et m'ont porté jusqu'à la caisse de Mamie-Rose, une voiture qui doit dater d'avant l'automobile. Pop Corn, qui est très doué pour ouvrir les serrures parce qu'il a eu la chance d'être élevé dans une cité défavorisée, a crocheté la porte de derrière et ils m'ont jeté sur le sol entre la banquette de devant et la banquette de derrière. Puis ils sont retournés, ni vu ni connu, au bâtiment.

Mamie-Rose, au bout d'un bon bout de temps, est montée dans sa voiture, elle l'a fait crachoter dix à quinze fois avant de la faire démarrer puis on est partis à un train d'enfer. C'est génial, ce genre de voiture d'avant l'automobile, ça fait tellement de boucan qu'on a l'impression d'aller très vite et ça secoue autant qu'à la fête foraine.

Le problème, c'est que Mamie-Rose, elle avait dû apprendre à conduire avec un ami cascadeur : elle ne respectait ni les feux ni les trottoirs ni les ronds-points si bien que, de temps en temps, la voiture décollait. Ça a pas mal chahuté dans la carlingue, elle a beaucoup klaxonné, et, question vocabulaire aussi, c'était enrichissant : elle balançait toutes sortes de mots terribles pour insulter les ennemis qui se mettaient en travers de son chemin et je me suis dit encore une fois que, décidément, le catch, c'était une bonne école pour la vie.

J'avais prévu, à l'arrivée, de bondir et de faire : « Coucou, Mamie-Rose » mais ça a duré tellement longtemps, la course d'obstacles pour arriver chez elle, que j'ai dû m'endormir.

Toujours est-il qu'à mon réveil, il faisait noir, il faisait froid, silence, et je me retrouvais seul couché sur un tapis humide. C'est là que j'ai pensé, pour la première fois, que j'avais peut-être fait une bêtise.

Je suis sorti de la voiture et il s'est mis à neiger. Pourtant c'était beaucoup moins agréable que « La valse des flocons » dans *Casse-Noisette.* J'avais les dents qui sautaient toutes seules.

J'ai vu une grande maison allumée. J'ai marché. J'avais du mal. J'ai dû faire un tel saut pour atteindre la sonnette que je me suis effondré sur le paillasson.

C'est là que Mamie-Rose m'a trouvé.

– Mais... mais..., qu'elle a commencé à dire.

Puis elle s'est penchée vers moi et a murmuré :

– Mon chéri.

Alors, j'ai pensé que j'avais peut-être pas fait une bêtise.

Elle m'a porté dans son salon, où elle avait dressé un grand arbre de Noël qui clignait des yeux. J'étais étonné de voir comme c'était beau, chez Mamie-Rose. Elle m'a réchauffé auprès du feu et on a bu un grand chocolat. Je me doutais qu'elle voulait d'abord s'assurer que j'allais bien avant de m'engueuler. Moi, du coup, je prenais tout mon temps pour me remettre, j'avais pas de mal à y arriver d'ailleurs parce que, en ce moment, je suis vraiment fatigué.

— Tout le monde te cherche à l'hôpital, Oscar. C'est le branle-bas de combat. Tes parents sont désespérés. Ils ont prévenu la police.

— Ça m'étonne pas d'eux. S'ils sont assez bêtes pour croire que je vais les aimer quand j'aurai les menottes...

— Qu'est-ce que tu leur reproches ?

— Ils ont peur de moi. Ils n'osent pas me parler. Et moins ils osent, plus j'ai l'impression d'être un monstre. Pourquoi est-ce que je les terrorise ? Je suis si moche que ça ? Je pue ? Je suis devenu idiot sans m'en rendre compte ?

— Ils n'ont pas peur de toi, Oscar. Ils ont peur de la maladie.

— Ma maladie, ça fait partie de moi. Ils n'ont pas à se comporter différemment parce que je suis malade. Ou alors ils ne peuvent aimer qu'un Oscar en bonne santé ?

– Ils t'aiment, Oscar. Ils me l'ont dit.

– Vous leur parlez ?

– Oui. Ils sont très jaloux que nous nous entendions si bien. Non, pas jaloux, tristes. Tristes de ne pas y parvenir aussi.

J'ai haussé les épaules mais j'étais déjà un peu moins en colère. Mamie-Rose m'a fait un deuxième chocolat chaud.

– Tu sais, Oscar. Tu vas mourir, un jour. Mais tes parents, ils vont mourir aussi.

J'étais étonné par ce qu'elle me disait. Je n'y avais jamais pensé.

– Oui. Ils vont mourir aussi. Tout seuls. Et avec le remords terrible de n'avoir pas pu se réconcilier avec leur seul enfant, un Oscar qu'ils adoraient.

– Dites pas des choses comme ça, Mamie-Rose, ça me fout le cafard.

– Pense à eux, Oscar. Tu as compris que tu allais mourir parce que tu es un garçon très intelligent. Mais tu n'as pas compris qu'il n'y a pas que toi qui meurs. Tout le monde meurt. Tes parents, un jour. Moi, un jour.

— Oui. Mais enfin tout de même, je passe devant.

— C'est vrai. Tu passes devant. Cependant est-ce que, sous prétexte que tu passes devant, tu as tous les droits ? Et le droit d'oublier les autres ?

— J'ai compris, Mamie-Rose. Appelez-les.

Voilà, Dieu, la suite, je te la fais brève parce que j'ai le poignet qui fatigue. Mamie-Rose a prévenu l'hôpital, qui a prévenu mes parents, qui sont venus chez Mamie-Rose et on a tous fêté Noël ensemble.

Quand mes parents sont arrivés, je leur ai dit :

— Excusez-moi, j'avais oublié que, vous aussi, un jour, vous alliez mourir.

Je ne sais pas ce que ça leur a débloqué, cette phrase, mais après, je les ai retrouvés comme avant et on a passé une super-soirée de Noël.

Au dessert, Mamie-Rose a voulu regarder à la télévision la messe de minuit et aussi un match de catch qu'elle avait enregistré. Elle dit que ça fait des années qu'elle se garde toujours un match de catch à visionner avant la messe de minuit pour se mettre en jambes, que c'est une habitude, que ça lui ferait bien plaisir. Du coup, on a tous regardé un combat qu'elle avait mis de côté. C'était formidable. Méphista contre Jeanne d'Arc ! Maillots de bain et cuissardes ! Des sacrées gaillardes ! comme disait papa qui était tout rouge et qui avait l'air d'aimer ça, le catch. Le nombre de coups qu'elles se sont mis sur la gueule, c'est pas imaginable. Moi, je serais mort cent fois dans un combat pareil. C'est une question d'entraînement, m'a dit Mamie-Rose, les coups sur la gueule, plus t'en prends, plus tu peux en prendre. Faut toujours garder l'espoir. Au fait, c'est Jeanne d'Arc qui a gagné, alors que, vraiment, au début on n'aurait pas cru : ça a dû te faire plaisir.

À propos, bon anniversaire, Dieu. Mamie-Rose, qui vient de me coucher dans le lit de son fils aîné qui était vétérinaire au Congo avec les éléphants, m'a suggéré que, comme cadeau d'anniversaire pour toi, c'était très bien, ma réconciliation avec mes parents. Moi, franchement, je trouve ça limite comme cadeau. Mais si Mamie-Rose, qui est une vieille copine à toi, le dit...

A demain, bisous,
Oscar.

P.-S. J'oubliais mon vœu : que mes parents restent toujours comme ce soir. Et moi aussi. C'était un chouette Noël, surtout Méphista contre Jeanne d'Arc. Désolé pour ta messe, j'ai décroché avant.

Cher Dieu,

J'ai soixante ans passés et je paie l'addition pour tous les abus que j'ai faits hier soir. Ça n'a pas été la grande forme aujourd'hui.

Ça m'a fait plaisir de revenir chez moi, à l'hôpital. On devient comme ça, quand on est vieux, on n'aime plus voyager. Sûr que je n'ai plus envie de partir.

Ce que je ne t'ai pas dit dans ma lettre d'hier, c'est que, chez Mamie-Rose, sur une étagère, dans l'escalier, il y avait une statue de Peggy Blue. Je te jure. Exactement la même, en plâtre, avec le même visage très doux, la même couleur bleue sur les vêtements et sur la peau. Mamie-Rose prétend que c'est la Vierge Marie, ta mère d'après ce que j'ai compris, une madone héréditaire chez elle depuis plusieurs générations. Elle a accepté de me la donner. Je l'ai mise sur ma table de chevet. De toute façon, ça reviendra un jour dans la famille de Mamie-Rose puisque je l'ai adoptée.

Peggy Blue va mieux. Elle est venue me rendre visite en fauteuil. Elle ne s'est pas reconnue dans la statue mais on a passé un joli moment ensemble. On a écouté *Casse-Noisette* en se tenant la main et ça nous a rappelé le bon temps.

Je te parle pas plus longtemps parce que je trouve le stylo un peu lourd. Tout le monde est malade ici, même le docteur Düsseldorf, à cause des chocolats, des foies gras, des marrons glacés et du champagne que les parents ont offerts en masse au personnel soignant. J'aimerais bien que tu me rendes visite.

Bisous, à demain,
Oscar.

Cher Dieu,

Aujourd'hui, j'ai eu de soixante-dix à quatre-vingts ans et j'ai beaucoup réfléchi.

D'abord, j'ai utilisé le cadeau de Mamie-Rose pour Noël. Je ne sais pas si je t'en avais parlé ? C'est une plante du Sahara qui vit toute sa vie en un seul jour. Sitôt que la graine reçoit de l'eau, elle bourgeonne, elle devient tige, elle prend des feuilles, elle fait une fleur, elle fabrique des graines, elle se fane, elle se raplatit et, hop, le soir c'est fini. C'est un cadeau génial, je te remercie de l'avoir inventé. On l'a arrosée ce matin à sept heures, Mamie-Rose, mes parents et moi – au fait, je ne sais si je t'ai dit, ils habitent en ce moment chez Mamie-Rose parce que c'est moins loin – et j'ai pu suivre toute son existence. J'étais ému. C'est sûr qu'elle est plutôt chétive et riquiqui comme fleur – elle n'a rien d'un baobab mais elle a fait bravement tout son boulot de plante, comme une grande, devant nous en une journée, sans s'arrêter.

Avec Peggy Blue, on a beaucoup lu le *Dictionnaire médical*. C'est son livre préféré. Elle est passionnée par les maladies et elle se demande lesquelles elle pourra avoir plus tard. Moi, j'ai regardé les mots qui m'intéressaient : « Vie », « Mort », « Foi », « Dieu ». Tu me croiras si tu veux, ils n'y étaient pas ! Remarque, ça prouve déjà que ce ne sont pas des maladies, ni la vie, ni la mort, ni la foi, ni toi. Ce qui est plutôt une bonne nouvelle. Pourtant, dans un livre aussi sérieux, il devrait y avoir des réponses aux questions les plus sérieuses, non ?

— Mamie-Rose, j'ai l'impression que, dans le *Dictionnaire médical*, il n'y a que des trucs particuliers, des problèmes qui peuvent arriver à tel ou tel bonhomme. Mais il n'y a pas les choses qui nous concernent tous : la Vie, la Mort, la Foi, Dieu.

– Il faudrait peut-être prendre un *Dictionnaire de philosophie*, Oscar. Cependant, même si tu trouves bien les idées que tu cherches, tu risques d'être déçu aussi. Il propose plusieurs réponses très différentes pour chaque notion.

– Comment ça se fait ?

– Les questions les plus intéressantes restent des questions. Elles enveloppent un mystère. A chaque réponse, on doit joindre un « peut-être ». Il n'y a que les questions sans intérêt qui ont une réponse définitive.

– Vous voulez dire qu'à « Vie », il n'y a pas de solution ?

– Je veux dire qu'à « Vie », il y a plusieurs solutions, donc pas de solution.

– Moi, c'est ce que je pense, Mamie-Rose, il n'y a pas de solution à la vie sinon vivre.

Le docteur Düsseldorf est passé nous voir. Il traînait son air de chien battu, ce qui le rend encore plus expressif, avec ses grands sourcils noirs.

– Est-ce que vous vous coiffez les sourcils, docteur Düsseldorf ? j'ai demandé.

Il a regardé autour de lui, très surpris, il avait l'air de demander à Mamie-Rose, à mes parents, s'il avait bien entendu. Il a fini par dire oui d'une voix étouffée.

– Faut pas tirer une tête pareille, docteur Düsseldorf. Ecoutez, je vais vous parler franchement parce que moi, j'ai toujours été très correct sur le plan médicament et vous, vous avez été impeccable sur le plan maladie. Arrêtez les airs coupables. Ce n'est pas de votre faute si vous êtes obligé d'annoncer des mauvaises nouvelles aux gens, des maladies aux noms latins et des guérisons impossibles. Faut vous détendre. Vous décontracter. Vous n'êtes pas Dieu le Père. Ce n'est pas vous qui commandez à la nature. Vous êtes juste réparateur. Faut lever le pied, docteur Düsseldorf, relâcher

la pression et pas vous donner trop
d'importance, sinon vous n'allez pas pouvoir continuer ce métier longtemps. Regar-
dez déjà la tête que vous avez.

En m'écoutant, le docteur Düsseldorf
avait la bouche comme s'il gobait un œuf.
Puis il a souri, un vrai sourire, et il m'a
embrassé.

– Tu as raison, Oscar. Merci de m'avoir dit
ça.

– De rien, docteur. A votre service. Reve-
nez quand vous voulez.

Voilà, Dieu. Toi, par contre, j'attends
toujours ta visite. Viens. N'hésite pas.
Viens, même si j'ai beaucoup de monde
en ce moment. Ça me ferait vraiment
plaisir.

A demain, bisous,
Oscar.

Cher Dieu,

Peggy Blue est partie. Elle est rentrée chez ses parents. Je ne suis pas idiot, je sais très bien que je ne la reverrai jamais.

Je ne t'écrirai pas parce que je suis trop triste. On a passé notre vie ensemble, Peggy et moi, et maintenant je me retrouve seul, chauve, ramolli, et fatigué dans mon lit. C'est moche de vieillir.

Aujourd'hui, je ne t'aime plus.

Oscar.

Cher Dieu,

Merci d'être venu.

T'as choisi pile ton moment parce que j'allais pas bien. Peut-être aussi que tu étais vexé à cause de ma lettre d'hier...

Quand je me suis réveillé, j'ai songé que

j'avais quatre-vingt-dix ans et j'ai tourné la tête vers la fenêtre pour regarder la neige.

Et là, j'ai deviné que tu venais. C'était le matin. J'étais seul sur la Terre. Il était tellement tôt que les oiseaux dormaient encore, que même l'infirmière de nuit, Madame Ducru, avait dû piquer un roupillon, et toi tu essayais de fabriquer l'aube. Tu avais du mal mais tu insistais. Le ciel pâlissait. Tu gonflais les airs de blanc, de gris, de bleu, tu repoussais la nuit, tu ravivais le monde. Tu n'arrêtais pas. C'est là que j'ai compris la différence entre toi et nous : tu es le mec infatigable ! Celui qui ne se lasse pas. Toujours au travail. Et voilà du jour ! Et voilà de la nuit ! Et voilà le printemps ! Et voilà l'hiver ! Et voilà Peggy Blue ! Et voilà Oscar ! Et voilà Mamie-Rose ! Quelle santé !

J'ai compris que tu étais là. Que tu me disais ton secret : regarde chaque jour le monde comme si c'était la première fois.

Alors j'ai suivi ton conseil et je me suis

appliqué. La première fois. Je contemplais la lumière, les couleurs, les arbres, les oiseaux, les animaux. Je sentais l'air passer dans mes narines et me faire respirer. J'entendais les voix qui montaient dans le couloir comme dans la voûte d'une cathédrale. Je me trouvais vivant. Je frissonnais de pure joie. Le bonheur d'exister. J'étais émerveillé.

Merci, Dieu, d'avoir fait ça pour moi. J'avais l'impression que tu me prenais par la main et que tu m'emmenais au cœur du mystère contempler le mystère. Merci.

A demain, bisous,
Oscar.

P.-S. Mon vœu : est-ce que tu peux refaire le coup de la première fois à mes parents ? Mamie-Rose je crois qu'elle connaît déjà. Et puis Peggy, aussi, si tu as le temps...

Cher Dieu,

Aujourd'hui j'ai cent ans. Comme Mamie-Rose. Je dors beaucoup mais je me sens bien.

J'ai essayé d'expliquer à mes parents que la vie, c'était un drôle de cadeau. Au départ, on le surestime, ce cadeau : on croit avoir reçu la vie éternelle. Après, on le sous-estime, on le trouve pourri, trop court, on serait presque prêt à le jeter. Enfin, on se rend compte que ce n'était pas un cadeau, mais juste un prêt. Alors on essaie de le mériter. Moi qui ai cent ans, je sais de quoi je parle. Plus on vieillit, plus faut faire preuve de goût pour apprécier la vie. On doit devenir raffiné, artiste. N'importe quel crétin peut jouir de la vie à dix ou à vingt ans, mais à cent, quand on ne peut plus bouger, faut user de son intelligence.

Je ne sais pas si je les ai bien convaincus.

Visite-les. Finis le travail. Moi je fatigue un peu.

A demain, bisous,
Oscar.

Cher Dieu,

Cent dix ans. Ça fait beaucoup. Je crois que je commence à mourir.

Oscar.

Cher Dieu,

Le petit garçon est mort.
Je serai toujours dame rose mais je ne serai

plus Mamie-Rose. Je ne l'étais que pour Oscar.

Il s'est éteint ce matin, pendant la demi-heure où ses parents et moi nous sommes allés prendre un café. Il a fait ça sans nous. Je pense qu'il a attendu ce moment-là pour nous épargner. Comme s'il voulait nous éviter la violence de le voir disparaître. C'était lui, en fait, qui veillait sur nous.

J'ai le cœur gros, j'ai le cœur lourd, Oscar y habite et je ne peux pas le chasser. Il faut que je garde encore mes larmes pour moi, jusqu'à ce soir, parce que je ne veux pas comparer ma peine à celle, insurmontable, de ses parents.

Merci de m'avoir fait connaître Oscar. Grâce à lui, j'étais drôle, j'inventais des légendes, je m'y connaissais même en catch. Grâce à lui, j'ai ri et j'ai connu la joie. Il m'a aidé à croire en toi. Je suis pleine d'amour, ça me brûle, il m'en a tant donné que j'en ai pour toutes les années à venir.

A bientôt,
Mamie-Rose.

P.-S. Les trois derniers jours, Oscar avait posé une pancarte sur sa table de chevet. Je crois que cela te concerne. Il y avait écrit : « Seul Dieu a le droit de me réveiller. »

Oscar et la dame rose est le troisième volet d'un ensemble intitulé par Eric-Emmanuel Schmitt *Le Cycle de l'Invisible*. Le premier volet, *Milarepa*, est consacré au bouddhisme, le deuxième *Monsieur Ibrahim et les fleurs du Coran* au soufisme.

DU MÊME AUTEUR

Aux Éditions Albin Michel

Romans

LA SECTE DES ÉGOÏSTES, 1994.

L'ÉVANGILE SELON PILATE, 2000, Grand Prix des lectrices
   de *Elle*.

LA PART DE L'AUTRE, 2001.

LORSQUE J'ÉTAIS UNE ŒUVRE D'ART, 2002.

Essai

DIDEROT OU LA PHILOSOPHIE DE LA SÉDUCTION,
   1997.

Récits

Le Cycle de l'Invisible :
MILAREPA, 1997.
MONSIEUR IBRAHIM ET LES FLEURS DU CORAN, 2001.

Le prix du Théâtre de l'Académie française 2001 a été décerné à Eric-Emmanuel Schmitt pour l'ensemble de son œuvre.

Site Internet : eric-emmanuel-schmitt.com

*La composition de cet ouvrage
a été réalisée par I.G.S. Charente Photogravure,
à l'Isle d'Espagnac,
l'impression a été effectuée
sur presse Cameron dans les ateliers
de Bussière Camedan Imprimeries
à Saint-Amand-Montrond (Cher),
pour le compte des Éditions Albin Michel.*

Achevé d'imprimer en juillet 2003.
N° d'édition : 21998. N° d'impression : 033251/1.
Dépôt légal : novembre 2002.
Imprimé en France